Le Comte de Mirabeau

C'était en juin 1789, et le roi venait d'ordonner la dissolution des Etats généraux. Le maître de cérémonies répéta l'ordre royal, mais les députés refusèrent de bouger. « Je vous déclare que si l'on vous a chargé de nous faire sortir d'ici, vous devez demander des ordres pour employer la force, car nous ne quitterons nos places que par la puissance de la baïonette », fulmina Mirabeau. Sa carrière d'orateur de premier plan à l'Assemblée nationale venait de commencer.

N'hésitant guère à sacrifier ses idéaux pour obtenir le pouvoir de les mettre en œuvre, Mirabeau était un personnage que l'on craignait et dont on se défiait tout autant que l'on reconnaissait son influence. Il persuada l'Assemblée nationale de rejeter l'appel à l'aide du roi, puis en secret fut heureux de prendre l'argent du souverain en échange de son soutien à la couronne. Sept mois plus tard, dégoûté du fait que le roi ait ignoré son avis, il reprit ses grands discours politiques et sa figure d'idole publique. Pourtant, en 1790, Mirabeau accepta d'aider à la restauration de la monarchie. Il infiltra des agents secrets au sein de l'Assemblée nationale, persuada le roi d'essayer de s'échapper de Paris afin qu'un nouveau gouvernement puisse être établi, et embaucha des journalistes pour modérer l'opinion publique. Juste au moment où le plan semblait devoir réussir, en 1791, Mirabeau tomba malade et mourut.

It was June 1789, and the king had just ordered the States-General to disperse. The master of ceremonies repeated the order, but the deputies wouldn't budge. "Go and tell those who sent you that we are here by the will of the people and that we shall not leave our places save by the force of bayonets!" thundered the Count de Mirabeau. His career as the National Assembly's foremost orator had begun.

Unconcerned with sacrificing his ideals to win the power to implement them, Mirabeau was as feared and distrusted as he was influential. He persuaded the National Assembly to reject the king's plea for aid, then happily and secretly took money from Louis XVI to provide royal support. Seven months later, disgusted that the king ignored his advice, Mirabeau resumed his ringing political speeches as a public idol. Then, in December 1790, Mirabeau agreed to help restore the monarchy. He set up secret agents within the National Assembly, persuaded the king to try to escape Paris so a new government could be established, and hired journalists to temper public opinion. Just as the plan promised success in 1791, Mirabeau fell ill and died.

La Princesse de Lamballe

La princesse de Lamballe alla vivre à la Cour de Versailles en 1770, et quand Marie-Antoinette devint reine en 1774, elles étaient devenues amies intimes. Elles se rendaient ensemble aux bals et aux courses de chevaux; elles se racontaient tous leurs secrets et se juraient de ne jamais se séparer. En juillet 1775, Marie-Antoinette fit de la princesse de Lamballe l'intendante en chef de sa maison, titre auquel était attaché un salaire considérable, mais qui n'exigeait de la princesse que sa fidèle amitié.

Pendant quelque temps, la princesse fut remplacée dans l'amitié de Marie-Antoinette par la Duchesse de Polignac, une femme rusée qui utilisa son influence auprès de la reine pour obtenir des positions lucratives pour ses parents et amis.

Mais quand la Révolution éclata et que le public osa montrer publiquement son mépris envers la reine, la princesse de Lamballe resta sa seule amie loyale. En octobre 1789, elle accompagna avec courage la famille royale à Paris, où son salon devint un lieu de rendez-vous pour les tractations secrètes de la reine avec les sympathisants royalistes de l'Assemblée nationale révolutionnaire.

Après que la monarchie ait été renversée en août 1792, la princesse de Lamballe fut accusée d'avoir aidé la reine à comploter contre la France avec les ennemis autrichiens. Elle passa une semaine emprisonnée au Temple avec Marie-Antoinette, avant d'être transférée à la prison de la Force.

Quand elle refusa de prêter serment contre la monarchie, la princesse, pâle et tremblante, fut livrée à une foule de citoyens déchaînés, qui la décapitèrent, puis amenèrent sa tête plantée au bout d'une pique à sa chère amie, la reine.

The Princess de Lamballe went to live at the royal court at Versailles in 1770, and by the time Marie-Antoinette was queen in 1774, the two women were best friends. They attended balls and horse races together; they confided their secret thoughts and vowed never to separate. In July 1775, Marie-Antoinette made Princess de Lamballe superintendent of her household, a title that brought a generous salary but required only the princess's continued friendship.

For a while, the princess was replaced as Marie-Antoinette's best friend by the Duchess de Polignac, a scheming woman who used the queens's friendship to win lucrative appointments for her friends and relatives.

But when the Revolution broke out and the public openly despised Marie-Antoinette, the Princess de Lamballe remained the queen's only loyal friend. In October 1789, she bravely accompanied the royal family to Paris, where her salon became the meeting place for the queen's secret dealings with royalist sympathizers in the revolutionary National Assembly.

After the monarchy toppled in August 1792, the Princess de Lamballe was accused of helping the queen to plot against France with its Austrian enemies. The princess spent a week imprisoned with Marie-Antoinette in the Temple, and then was transferred to La Force prison.

When she refused to take an oath against the monarchy, the pale, trembling princess was delivered to a furious mob of citizens who cut off her head and carried it on a pike to her cherished friend, the queen.

Paper Dolls of the French Revolution

A costume for a revolutionary celebration, c. 1797; Vizille, Musée de la Révolution Française

Dolls by Susan Day; drawings by Nancy Conkle; text by Ellen Knill & Jill Canon

Personnages à découper de la Révolution Française

Le Marquis de La Fayette

Après avoir aidé les colonies américaines à obtenir leur indépendance, La Fayette rentra en France en 1782 avec une nouvelle cause à défendre: introduire la liberté dans le gouvernement de son propre pays. Il demanda une plus grande liberté religieuse, et une diminution des réglementations commerciales; il proposa une déclaration des droits du citoyen à l'Assemblée nationale.

Après la prise de la Bastille, La Fayette prit le commandement de la Garde Nationale de Paris, mais ses troupes furent incapables d'empêcher les femmes affamées de prendre Versailles d'assaut. La foule envahit le palais, mais La Fayette réussit à sauver la vie de la reine en apparaissant avec elle à un balcon et en lui faisant un baise-main en public.

La Fayette lutta pour maintenir l'ordre public pendant que l'on écrivait la Constitution. Malgré lui, ses troupes empêchèrent le roi de quitter Paris pendant la Semaine sainte en avril 1791. En juillet, il leur ordonna de tirer sur la foule qui s'était rassemblée pour demander le remplacement du roi. Sa popularité chuta.

Une fois la constitution achevée, La Fayette déclara que la violence des parisiens était une plus grande menace pour la sécurité nationale que la guerre avec l'Autriche. Rejeté par l'assemblée, il partit pour l'Autriche, où il fut détenu comme prisonnier de guerre jusqu'à ce qu'une provision spéciale d'un traité permette sa libération en 1797.

After helping the American colonies win independence, the Marquis de La Fayette returned to France in 1782 with a new cause: bringing liberty to his own country. He called for greater freedom of religion and reduced trade regulation; he proposed a declaration of rights at the National Assembly.

When the Bastille fell, La Fayette took command of the Paris National Guard, but his troops couldn't stop starving women from mobbing Versailles. The crowd broke into the palace but La Fayette saved the queen's life by stepping out onto a royal balcony with Marie-Antoinette and kissing her hand.

La Fayette strove to keep order while the constitution was being formed. Against his wishes, his troops prevented the king from leaving Paris for Holy Week in April 1791; in July he ordered them to fire on a crowd gathered to demand the king be replaced. His popularity fell.

Once the constitution was complete, La Fayette decried Parisian violence as a greater threat to national security than war with Austria. Renounced by the Assembly, he went to Austria, where he was held as a prisoner of war until a special treaty provision secured his release in 1797.

Louis XVI

Après avoir été sacré roi sous le nom de Louis XVI, Louis-Auguste de France se montra être un dirigeant peu entreprenant, plus intéressé par la chasse que par la direction des affaires publiques. Il était facile à son épouse Marie-Antoinette, capricieuse et dépensière, de le pousser à prendre des décisions peu sages et à vider les caisses de l'Etat.

Quand des signes avant-coureurs de la révolution commencèrent à se manifester, Louis XVI essaya de mettre en place des réformes, mais il sous-estima le mécontentement des Français ordinaires. Il accepta passivement la révolution quand les citoyens prirent la Bastille en juillet 1789, et vers la fin de l'année, il était en passe de rapidement devenir un pantin.

A la suite de pressions de plus en plus fortes, le roi et sa famille déménagèrent de Versailles à Paris, beaucoup plus hostile, où ils prirent résidence, sous bonne garde, aux Tuileries. En juin 1791, déguisés en gens du peuple—le roi portait un chapeau de laquais et faisait semblant d'être un serviteur—ils tentèrent de fuir le pays. Mais ils furent capturés et ramenés, humiliés, à Paris.

Louis XVI accepta alors la nouvelle monarchie constitutionnelle française. Il conservait cependant un droit de veto, mais quand il en fit usage en 1792, une foule furieuse s'élança contre la résidence royale. Alors qu'elle approchait, le roi affolé marchait de pièce en pièce, incapable de prendre une décision. Finalement, il essaya de rallier sa garde nationale avec ces mots: « Nous devrions nous battre avec courage, ne le pensez-vous pas? » Son attitude incertaine et embarrassée amena des cris de révolte de la part de sa troupe. La famille prit la fuite, avant d'être arrêtée puis emprisonnée au Temple, où Louis XVI passa ses derniers mois de vie à lire et à instruire son jeune fils.

Il y eut un procès en janvier 1793 au cours duquel le roi fut jugé coupable d'avoir comploté contre la France. Avant de placer sa tête sur la guillotine, Louis XVI s'écria: « Mon peuple, je suis innocent. Je pardonne... » mais le son de sa voix fut noyé par les roulements des tambours.

After Louis-Auguste of France was crowned King Louis XVI in 1774, he proved to be a timid ruler, more interested in hunting deer than running state affairs. He was easily swayed by his flighty, free-spending wife, Marie-Antoinette, to make unwise appointments and empty the national treasury.

When revolution rumbled, Louis XVI tried to establish reforms but underestimated the discontent of common Frenchmen. He passively accepted the revolution when citizens stormed the Bastille in July 1789, and by the end of the year, Louis XVI was fast becoming a figurehead.

Amid mounting pressure, the king and his family moved from Versailles to the more hostile Paris, where they were closely watched in the Tuileries. In June 1791, the royal family, dressed as commoners—the king wore a lackey's hat and posed as a steward—tried to escape the country. But they were captured and returned, humiliated, to Paris.

Louis XVI then accepted France's new constitutional monarchy. He retained veto power, however, and when he used it, an angry mob again marched toward the royal residence in August 1792. As they neared, the distraught king wandered from room to room, unable to decide what to do. Finally, he tried to rally his National Guards, saying, "We should make a brave fight, don't you think?" His embarrassed, uncertain manner brought cries of revolt from his troops. The family fled and was then imprisoned in the Temple, where Louis XVI spent his last months reading and tutoring his little son.

The king stood trial and was found guilty of conspiracy in January 1793. Before placing his head in the guillotine, Louis XVI cried, "People, I die innocent. I pardon. . ." but the sound of his voice was drowned by beating drums.

Camille et Lucile Desmoulins

En juillet 1789, l'augmentation du prix du pain ainsi que l'arrivée massive de troupes royales à Paris achevèrent de convaincre les résidents inquiets qu'un complot se tramait contre eux. Ils se rassemblèrent au Palais-Royal, centre d'agitation politique, où plusieurs orateurs haranguèrent la foule. Parmi eux se trouvait un écrivain encore inconnu appelé Camille Desmoulins. Il appela les Parisiens à prendre les armes pour se défendre. Enflammés par ses mots, ils se ruèrent hors du Palais-Royal, se rassemblèrent en grand nombre, s'armèrent, prirent la Bastille et renversèrent le pouvoir royal dans la cité. La Révolution avait commencé.

En même temps, Desmoulins publiait des pamphlets en faveur de la république, de la participation politique populaire, et, dans certaines circonstances, de la violence révolutionnaire. Devenu véritable héros, il se joignit au club des Cordeliers dirigé par Danton, qui partageait son enthousiasme pour l'idée du gouvernement par le peuple. Desmoulins lança aussi un journal hebdomadaire et utilisa ses colonnes pour continuer à réclamer la démocratie directe et à lancer des attaques vibrantes et acérées contre les adversaires de la Révolution.

En décembre 1790, il épousa Lucile Duplessis, qui avait pleuré de joie quand ses parents avaient finalement approuvé cette union.

L'été suivant, Desmoulins souleva de violentes objections quand l'Assemblée nationale adopta une constitution qui redonnait son trône à Louis XVI. Il aida à organiser une manifestation sur le Champ-de-Mars, qui finit en massacre quand le gouvernement tenta de faire disperser la foule. Effrayé des conséquences, Desmoulins entra dans la clandestinité pour deux mois.

En septembre 1791, Desmoulins se joignit une fois de plus publiquement à Danton pour protester contre la monarchie, et s'attira des critiques en tant que député à la Convention nationale. Après qu'il ait appelé à la clémence envers Danton et ses amis, il fut arrêté et, malgré les supplications de Lucile pour sa libération, décapité en avril 1794, serrant entre ses doigts une mèche des cheveux de sa femme. Comme elle avait essayé de soulever le peuple pour sauver son mari, Lucille le suivit bientôt sur l'échafaud.

In July 1789, rising bread prices and royal troops arriving in Paris convinced many anxious residents that there was a plot underfoot to ruin them. They gathered at the Palais Royal, a center for political agitation, where several speech makers, including an unknown writer named Camille Desmoulins, harangued the crowd. Desmoulins urged the Parisians to arm themselves for protection. Inspired by his words, they swirled out from the Palais Royal, gathered arms and numbers, stormed the Bastille and overturned royal power in the city. The Revolution had begun.

At the same time, Desmoulins published pamphlets advocating republicanism, popular political participation, and, in some circumstances, revolutionary violence. Now a hero, he joined the Cordeliers club led by Danton, who shared his zeal for popular government. Desmoulins also started a weekly newspaper and used it to continue calling for a direct democracy and to make vibrant, biting attacks on opponents of the Revolution.

In December 1790, he married Lucile Duplessis, who had wept joyfully when her parents finally approved the match.

The following summer, Desmoulins violently objected when the National Assembly adopted a constitution returning Louis XVI to the throne. He helped organize a demonstration at the Champ-de-Mars that ended in a slaughter when the government tried to disperse the crowd. Frightened of repercussions, Desmoulins went into hiding for two months.

In September 1791, Desmoulins again publicly joined with Danton in opposing the monarchy and gathered critics as an elected representative to the National Convention. After he called for clemency for 200,000 imprisoned citizens, he was arrested, and despite Lucile's pleas for his release, was beheaded while holding a curl of Lucile's hair in April 1794. Since she had tried to stir up the people to free her husband, Lucile soon followed him to the guillotine.

Jean-Paul Marat et Charlotte Corday

Le cœur de Charlotte Corday brûlait tout entier pour les Girondins, un club d'hommes intelligents et cultivés qui rêvaient d'une France de liberté, mais non d'égalité, et qui pour y parvenir voulaient agir dans la modération et la légalité. Charlotte, une jeune femme de la noblesse normande, croyait par ailleurs que les radicaux comme Jean-Paul Marat présentaient une menace mortelle pour la France. Marat se servait en effet de son journal parisien pour inciter ses lecteurs à la violence, injurier les conspirateurs et promouvoir la dictature. Il demandait l'exécution de 50000 personnes, y compris celles du roi et des Girondins. Marat devint suffisamment populaire pour être élu député à la Convention nationale, mais aux yeux de Charlotte, il représentait un oppresseur monstrueux. Elle décida qu'il était de son devoir de débarrasser ses compatriotes de ce personnage malfaisant, et qu'il était raisonnable de faire pour cela le sacrifice de sa propre vie.

Comme Marat souffrait d'une maladie de peau, il écrivait ses articles du fond d'une baignoire d'eau médicamenteuse, les épaules enveloppées d'un drap. C'est ainsi que Charlotte le trouva quand elle s'introduit dans son appartement parisien le 13 juillet 1793. Elle lui dit qu'elle apportait des informations sur les Girondins pour son journal et prenant place près de la baignoire elle se mit à répondre aux questions que Marat lui faisait sur ces hommes qu'elle révérait secrètement. L'entretien fut interrompu quand Simone Evrard, la compagne de Marat, entra dans la salle de bain pour apporter une potion qu'il devait prendre pour soulager ses problèmes de santé. En partant, elle ferma la porte derrière elle. Charlotte décida alors qu'elle devait passer à l'action avant que quelqu'un d'autre n'entre. Elle se leva tandis qu'il finissait d'inscrire les noms qu'elle lui avait fournis pour pouvoir s'approcher de lui. Marat leva la tête et s'écria: « Sous peu de jours je les ferai tous guillotiner. »

A ces mots, Charlotte retira un grand couteau de cuisine de son corsage et d'un seul coup, direct et profond, elle le poignarda dans la poitrine. Il appela à l'aide mais mourut presque tout de suite.

Charlotte fut jugée et condamnée à être guillotinée. Bien qu'elle se soit rendue à l'échafaud convaincue d'avoir rendu un grand service à sa cause et à son pays, en réalité le meurtre de Marat accéléra la persécution des Girondins. Au lieu de donner au pays la paix et la liberté, Charlotte avait rendu Robespierre plus puissant, favorisant ainsi l'établissement de la Terreur et du gouvernement Révolutionnaire.

Charlotte Corday's heart burned for the Girondins, a club of intelligent, cultivated men who wanted liberty but not equality for France through moderate, legal means. On the other hand, Charlotte, a young Norman noble twenty-five years old, believed radicals like Jean-Paul Marat were a deadly enemy to France. Marat used his Paris newspaper to provoke violence, revile conspirators and push for dictatorship. He called for 50,000 executions, including the king's and the Girondins'. Marat was popular enough to win election as a deputy to the National Convention, but in Charlotte's mind, he was a monster oppressor. She decided she must rid the world of him for her countrymen; her own life would be a reasonable and glorious sacrifice.

Because Marat suffered from a skin disease, he wrote his newspaper while soaking in medicated bath water with a sheet drawn around his shoulders. This is how Charlotte found him when she arrived at his Paris apartment July 13, 1793. She told him she brought news of the Girondin rebels for his paper, and, taking a seat beside the tub, proceeded to answer Marat's questions about the men she secretly revered. The interview was interrupted when Simone Evrard, Marat's longtime companion, entered the bathroom with a mixture Marat drank for his ailments. When she left, she closed the door, and Charlotte decided she must act quickly before somebody else came in. She rose while Marat finished scribbling the names Charlotte provided as a ploy to get near her victim. Marat then raised his head and said, "Good. We'll soon have them all guillotined in Paris!"

At those words, Charlotte pulled a large kitchen knife from her bodice, and in one strong, straight stroke, stabbed Marat in the chest. He called out for help, then died almost instantly.

Charlotte was tried and condemned to the guillotine. Though she went to her death convinced she had served her cause and her country, Marat's murder actually accelerated the execution of the Girondins. Instead of leaving her country peaceful and free, Charlotte had empowered Maximilien Robespierre, leading to the establishment of the Terror and Revolutionary government.

Marie-Joseph-Gilbert du Motier,
Marquis de La Fayette
Honoré-Gabriel Riqueti,
Comte de Mirabeau
Le Marquis de La Fayette
Le Comte de Mirabeau

Marquis
de La Fayette

Honoré-Gabriel Riqueti,
Comte de Mirabeau

A Hat for the
Marquis de La Fayette

A Hat for the
Comte de Mirabeau

La Princesse
de Lamballe

La Princesse de Lamballe

September 3, 1792

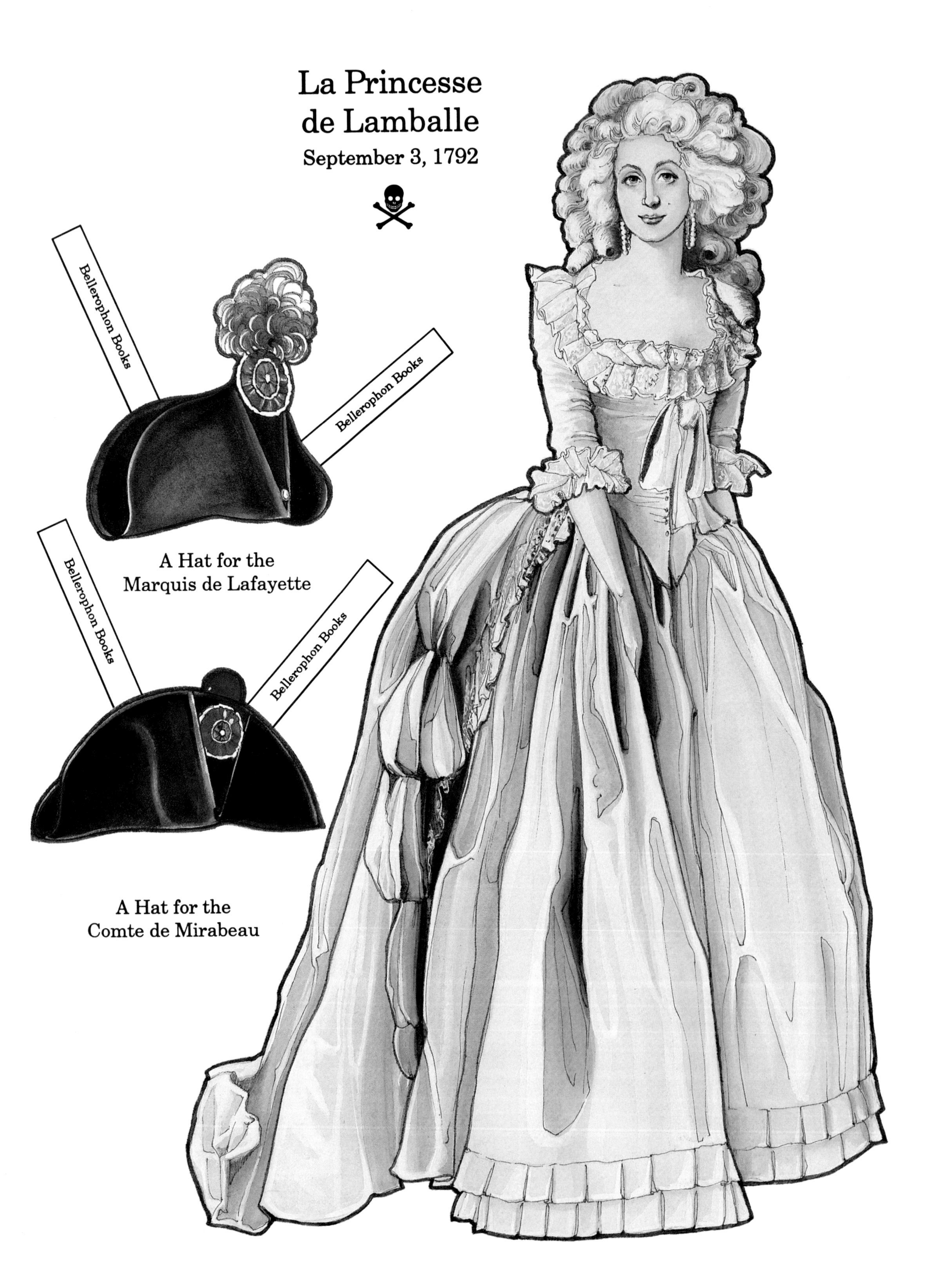

A Hat for the
Marquis de Lafayette

A Hat for the
Comte de Mirabeau

Bellerophon Books
Bellerophon Books
Bellerophon Books
Bellerophon Books
Bellerophon Books
Bellerophon Books
Bellerophon Books
A Hat for
Louis XVII
A Uniform for
Louis-Charles de France
Louis XVII (Louis-Charles de France)
June 8, 1795

A Hat for
Louis-Charles de France

A Uniform for
Louis-Charles de France

Louis XVII
(Louis-Charles
de France)

A Hat for
Louis XVI

A Hat for
Louis XVI

Louis XVI,
Roi de France

A Hat for
Louis XVI
Bellerophon Books
Bellerophon Books
Bellerophon Books
Bellerophon Books
Louis XVI,
Roi de France
January 21, 1793
A Liberty Hat
for Louis XVI
LA
NATION,
LA LOI,
LE ROI.
King Louis XVI

The Coronation Robes
of Louis XVI
Bellerophon Books
Bellerophon Books
The Coronation
Hat of Louis XVI
Bellerophon Books
Bellerophon Books
Bellerophon Books
Bellerophon Books
The Crown
of Louis XVI
Bellerophon Books
Bellerophon Books
Bellerophon Books

The Coronation
Hat of Louis XVI

The Crown
of Louis XVI

The Coronation Robes
of Louis XVI

Camille
Desmoulins

Lucile Desmoulins

Lucile Desmoulins
April 13, 1794
Camille Desmoulins
April 5, 1794
Camille Desmoulins

A Dress for
Lucile Desmoulins

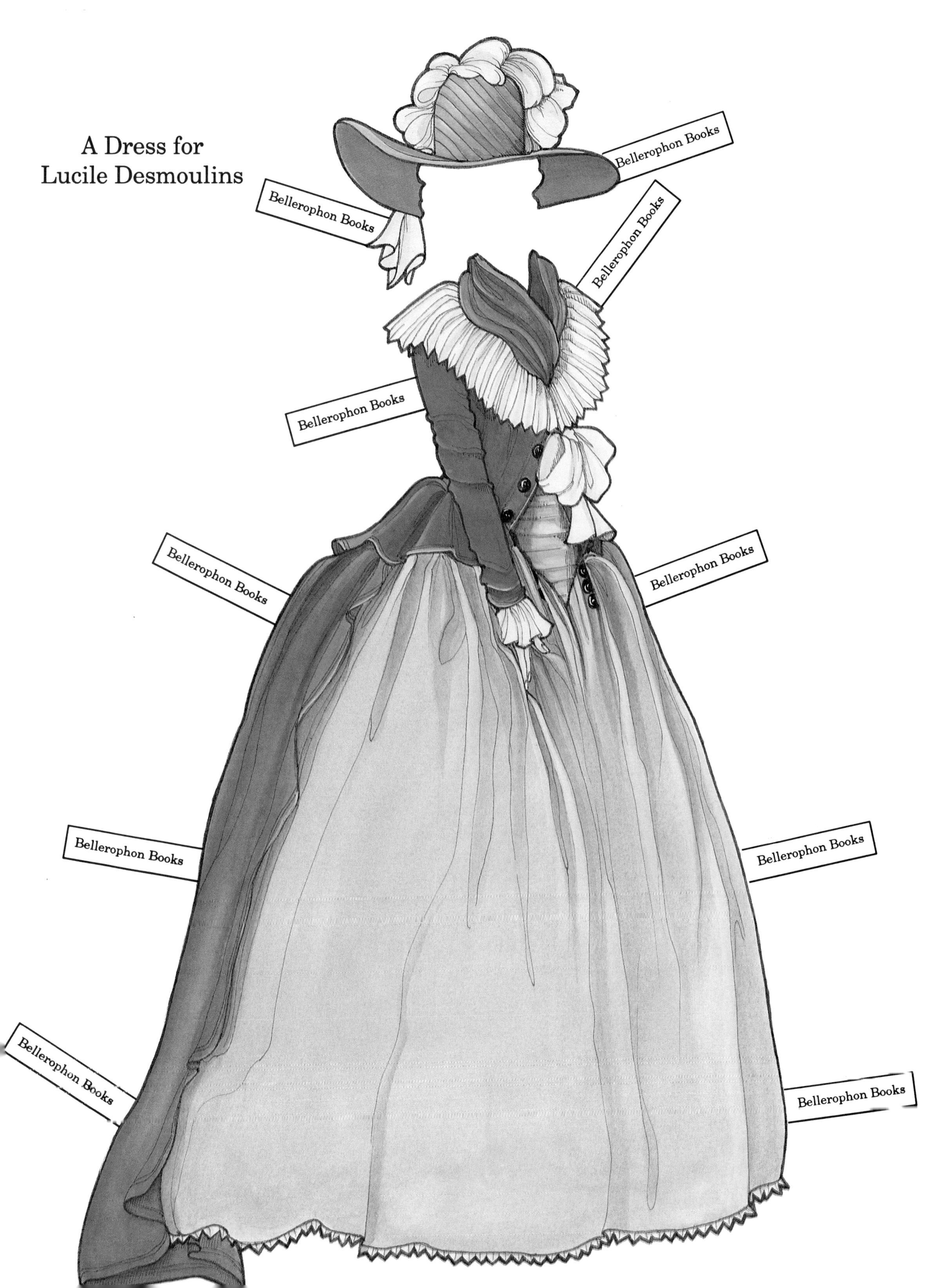

A Dress for
Lucile Desmoulins

Jean-Paul Marat

Georges-Jacques Danton

Jean-Paul Marat
July 13, 1793
Georges-Jacques Danton
April 5, 1794
Jean-Paul Marat
Georges-Jacques Danton

Madame Danton I

Antoinette-Gabrielle Charpentier

Madame Danton I
Antoinette-Gabrielle Charpentier

Madame Danton II
Sébastienne-Louise Gély

Madame Danton II
Sébastienne-Louise Gély
Bellerophon Books
Bellerophon Books

Charlotte Corday
July 17, 1793
Cut out
Bellerophon Books
Bellerophon Books
Bellerophon Books
Bellerophon Books
Bellerophon Books
Bellerophon Books
Bellerophon Books
Bellerophon Books

Charlotte Corday

A Dress for Charlotte Corday

Marie-Antoinette
de Lorraine

Marie-Antoinette
de Lorraine
October 16, 1793

A Gown for Marie-Antoinette

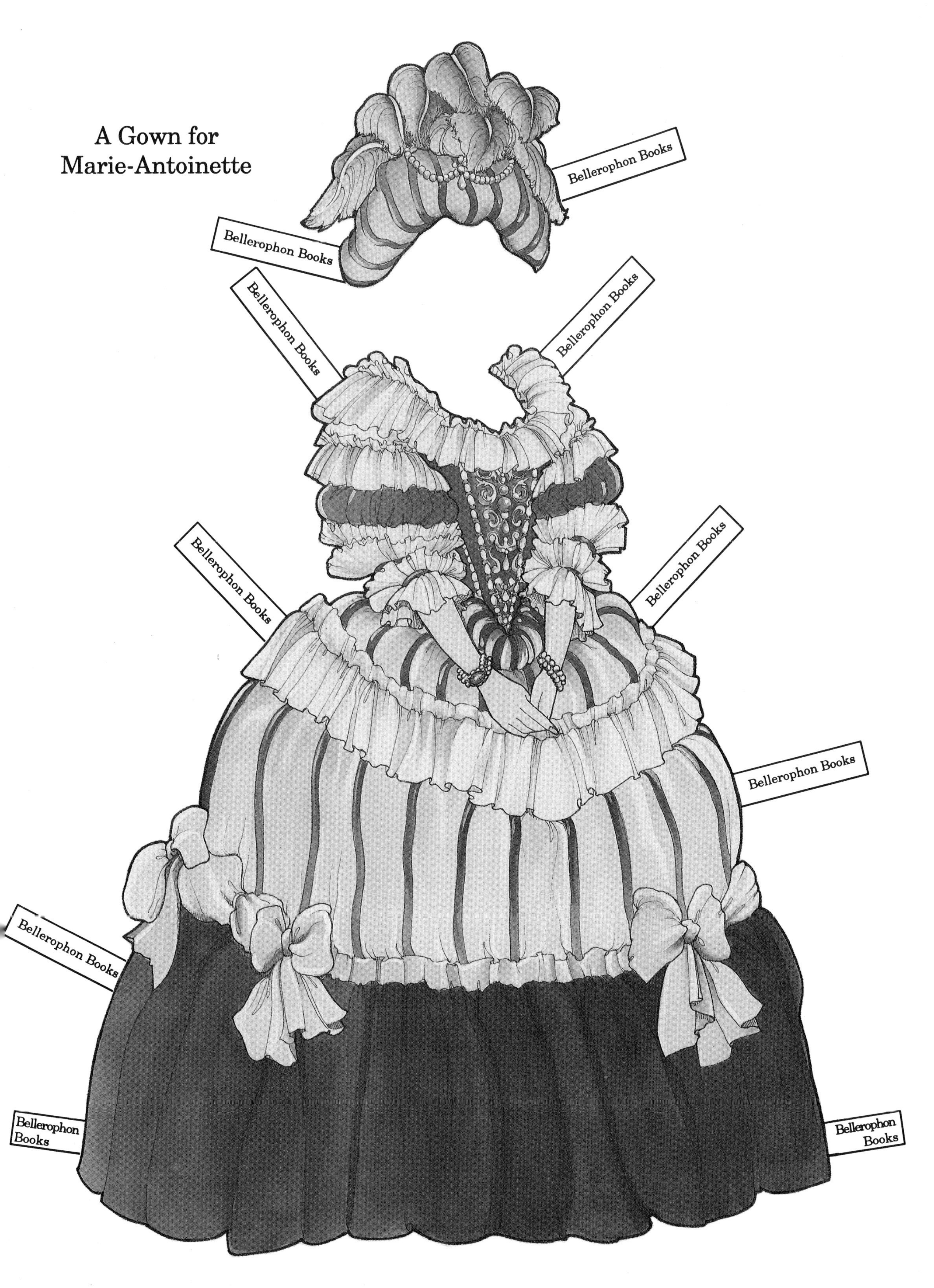

A Gown for Marie-Antoinette

Manon Philipon,
Madame Roland

Manon Philipon,
Madame Roland
November 8, 1793

A Dress for Mme Roland

A Dress for Mme Roland

Madame Elisabeth
de France

Madame Elisabeth
de France
May 10, 1794

Maximilien
de Robespierre
July 28, 1794
Charlotte
de Robespierre
Maximilien de Robespierre

Maximilien
de Robespierre

Charlotte
de Robespierre

A Bonnet
for Charlotte
de Robespierre

A Dress for
Charlotte de Robespierre

A Dress for Charlotte de Robespierre

Louis de Saint-Just
July 28, 1794
Bellerophon Books
Louis de Saint-Just

Louis de Saint-Just

Marie-Thérèse Charlotte,
Madame Royale

Marie-Thérèse Charlotte,
Madame Royale

A Dress for Mme Royale

A Dress for Mme Royale

Thérésia de Cabarrus,
Marquise de Fontenay,
Madame Tallien

A Dress for Mme Tallien

A Dress for Mme Tallien

Georges-Jacques Danton et ses épouses

Georges-Jacques Danton obtint tous les honneurs et tous les pouvoirs pendant la Révolution, mais c'est en tant que Premier ministre, véritable chef du gouvernement, que l'on se souvient de lui. Il prit en main le destin d'une France plongée dans le chaos, et dirigea l'opinion publique, la défense et la diplomatie. Les Prussiens avaient occupé l'est du pays, et les Français plongés dans la misère se désespéraient. Danton rallia ses compatriotes dans un inoubliable discours improvisé devant l'Assemblée nationale: « D'un bout à l'autre de la France, les masses se soulèvent... Une partie du peuple va se porter aux frontières, une autre va creuser des retranchements, et la troisième, avec des piques, défendra l'intérieur de nos villes. »

Danton avait prévu de séparer la Prusse de l'Autriche par de négociations visant à ébranler la coalition, et de faire alliance avec les Anglais. Une fois ceci achevé, pensait-il, il pourrait établir une République s'appuyant sur l'égalité et le respect de la propriété individuelle.

En 1787, Danton s'éprit d'Antoinette-Gabrielle Charpentier, qu'il épousa et qui lui donna deux fils. Quand elle mourut, son chagrin fut immense, mais par la suite son remariage heureux avec Sébastienne-Louise Gély le détourna de sa peine et adoucit son caractère.

Elu au Comité de Salut public en avril 1793, ses tentatives de conciliation et ses concessions envers les puissances étrangères se heurtèrent à l'opposition constante et retorse de Robespierre. Danton finit par démissionner en juillet 1793. Réélu, il refusa de reprendere sa place. « Je n'entrerai dans aucun comité responsable », déclara-t-il alors. « Je conserverai la faculté de stimuler sans cesse ceux qui gouvernent... » Fatigué et malade, il quitta Paris avec Louise pour mener à la campagne la vie retirée d'un gros propriétaire terrien. Quand il apprit que Robespierre complotait contre lui, Danton ne s'inquiéta pas: « Dites à Robespierre que je serai à Paris bien assez tôt pour l'écraser, lui et ses amis! »

Quand Danton y retourna effectivement, il était trop tard. A présent que la France était victorieuse, il appelait de ses vœux la clémence et la fin de la Terreur. « Je détruirai cette guillotine maudite avant longtemps, ou bien j'y monterai moi-même », promit-il. Il avait raison. Robespierre s'occupait alors à rassembler des preuves contre Danton, et quand tout fut prêt, il le fit arrêter, ainsi que ses amis, pour conspiration contre le gouvernement républicain et pour le rétablissement de la monarchie. « En parcourant cette liste d'horreurs, je sens toute mon existence frémir », Danton déclara lors de son procès. Il fut si émouvant que le président, craignant que la foule des spectateurs ne prenne son parti, ajourna rapidement la session, sous le prétexte que Danton devait être fatigué.

L'opinion publique était en effet avec Danton, et alors que le procès se poursuivait, il devenait clair que les arguments de l'accusation étaient faibles. Mais on ne permit pas à la défense d'introduire ses témoins à décharge, et le jury revint avec un verdict de culpabilité. Danton devait mourir le jour suivant, ses rêves inachevés. Tandis qu'ils attendaient leur départ pour la mort, Danton plaisantait, riait et consolait ses compagnons de cellule. Pendant le trajet en charrette vers la guillotine, il se tint fièrement la tête droite devant la foule immense et silencieuse. En passant devant chez Robespierre, il cria: « Bientôt, ce sera ton tour! » Sur l'échafaud, Danton pensa à sa femme. « Louise », sanglota-t-il, « je ne te verrai donc plus! » Puis, s'écriant: « Pas de faiblesse, Danton! » il se tourna vers le bourreau. « N'oublie pas de montrer ma tête au peuple: elle en vaut la peine », dit-il. Un instant plus tard, Danton était mort. Il avait 34 ans.

Georges-Jacques Danton and His Wives

Georges-Jacques Danton secured all the honors, all the power positions in the French Revolution, but he is best known as its Prime Minister, the real head of the government. He took charge of a chaotic France and directed its public opinion, war and diplomacy. The Prussians had occupied eastern France and the impoverished French were despairing. Danton rallied his countrymen in an immortal impromptu speech to the National Assembly: "From one end of France to the other, everyone is rising... Part of the people will guard our frontiers; part will dig trenches; and still others will defend our towns with pick-axes."

Danton planned to separate Prussia from Austria by negotiating to disrupt the coalition and to make an alliance with England. Once that was done, he thought, he would establish a republic based on equality and respect for property rights.

In 1787, he fell in love with and married Antoinette-Gabrielle Charpentier, who bore him two sons. Danton was devastated when she died, but later was happily married to Sebastienne-Louise Gély, who distracted and softened him.

When elected to the Committee of Public Safety in April 1793, his conciliating attitude and concessions to foreign powers were steadily and slyly undermined by Robespierre. Danton finally resigned in July 1793, and when re-elected, declined to serve. "I won't be a member of any committee, but the spur of them all," he said. Tired and ill, he then left Paris with Louise to live as an apolitical country squire. When he learned that Robespierre was plotting against him, Danton was confident: "Tell Robespierre that I'll be in Paris soon enough to crush him and his friends!"

When Danton did return, it was too late. Now that France was victorious, he called for clemency and an end to the Reign of Terror. "I shall break that damned guillotine before long or I shall fall under it," he vowed. He was right. Robespierre was busily collecting evidence to use against Danton, and when everything was ready, Danton and his friends were arrested for conspiring to re-establish the monarchy and destroy the republican government. "When I think of that list of horrors of which I am accused, I tremble in every fiber of my body," Danton said at his trial. He was so effective that the president, fearing the crowd of listeners might take Danton's side, quickly adjourned the day's session, saying Danton must be tired.

Public opinion was indeed with Danton, and as the trial continued, it became clear that the prosecutor's case was weak. But the defense was not allowed to present witnesses, and the jury's verdict came back as "guilty." Danton must die the next day, never to see his dreams realized.

Danton jeered, joked and consoled his fellow condemned prisoners as they awaited their escort to death. During the cart ride to the guillotine, he proudly raised his head for the immense, silent crowd. When he passed Robespierre's home, Danton shouted, "You will follow me!"

Atop the scaffold, Danton thought of his wife. "My beloved one," he sobbed, "I shall never see you again." Then, saying, "No weakness, Danton!" he turned to the executioner. "Show my head to the people," he said. "It is worth it." A moment later, Danton was dead at age thirty-four.

Marie-Antoinette

A 15 ans, Marie-Antoinette d'Autriche fit la connaissance du dauphin Louis-Auguste de France, qu'elle épousa. C'était un mariage de convenance arrangé pour fortifier les liens entre les familles régnantes des deux pays. Les Français accueillirent la jeune femme avec enthousiasme et bonne volonté.

Mais après qu'elle soit devenue reine en 1774, sa popularité dans l'opinion chuta dramatiquement, notamment à la suite de la circulation de pamphlets qui dénonçaient en traits acérés son penchant pour le jeu, les fêtes, la séduction ainsi que sa propension à dépenser d'énormes sommes d'argent pour elle-même et pour l'entretien du palais. Son amour pour les bijoux coûteux était proverbial, à tel point que deux escrocs réussirent à persuader un Cardinal de commander une rivière de diamants exorbitante au nom de la reine. Bien que Marie-Antoinette ait été totalement innocente dans l'affaire, sa réputation en souffrit.

En octobre 1789, les monarques en disgrâce cédèrent aux pressions populaires et quittèrent le magnifique château de Versailles pour le Palais des Tuileries, jusqu'alors délaissé, et où les Parisiens allaient pouvoir les maintenir sous bonne garde. Sentant que son droit divin de reine lui était enlevée, Marie-Antoinette resta secrètement en contact avec les factions royalistes modérées, à qui elle envoyait des lettres et des messages codés écrits à l'encre invisible.

Quand la France déclara la guerre à l'Autriche en avril 1792, Marie-Antoinette communiqua en secret les plans de bataille français à sa famille, tandis que le mépris de l'opinion publique envers elle continuait de monter. Deux mois plus tard, elle fut obligée de proteger ses enfants d'une attaque populaire du fond d'une chambre barricadée aux Tuileries. Lors d'une nouvelle invasion, en août, la famille royale fut contrainte de trouver refuge à l'Assemblée nationale, qui la condamna à être emprisonnée à la prison du Temple. Là, la famille fut soumise à un harcèlement constant. Un jour, les cris d'une foule furieuse attirèrent Marie-Antoinette à la fenêtre, devant laquelle on brandissait la tête de son amie la princesse de Lamballe, plantée au bout d'une pique: la reine s'évanouit.

En janvier 1793, Marie-Antoinette fit ses adieux à son mari, qui devait être guillotiné le jour suivant. Six mois plus tard, on lui enleva son fils, et on la déménagea dans une prison pour les condamnés à mort, où elle ne disposa plus que d'une cellule exiguë. Un projet d'évasion échoua quand la reine, qui n'avait pas de crayons, tenta de faire passer un message écrit avec des trous d'aiguille dans du papier.

Quand Marie-Antoinette fut enfin jugée pour trahison, elle resta digne et soutint jusqu'au bout que sa seule culpabilité était d'avoir obéi à son devoir d'épouse de roi. Le 16 octobre 1793, de grand matin, elle prit calmement le chemin de la mort.

Marie-Antoinette

At age fifteen, Marie-Antoinette of Austria met and married the dauphin Louis-Auguste of France, a wedding arranged to fortify the ties between the ruling houses of the two countries. The French greeted her with love and cheers.

But when she became queen in 1774, popular opinion plummeted as circulating pamphlets viciously detailed her love for gambling, socializing, flirting and spending vast sums of money on herself and the palaces. The queen's love of costly jewelry was well-known, allowing a pair of swindlers to dupe a Cardinal into ordering an exorbitant diamond necklace in her name. Though Marie-Antoinette was innocent in the scheme, her reputation grew uglier still.

In October 1789, the disgraced monarchs bowed to public pressure and moved from their glittery Versailles palace to be closely watched in the abandoned Tuileries in Paris. Marie-Antoinette felt robbed of her divine right as queen and stayed in secret contact with moderate factions, sending them coded messages or letters written in invisible ink.

When France declared war on Austria in April 1792, Marie Antoinette secretly sent French battle plans to her Austrian relatives as public contempt for her heightened. Two months later, she shielded her children from a mob attack in a barricaded room of the Tuileries. During a second invasion in August, the royal family fled to the Legislative Assembly, which sentenced them to imprisonment in the Temple. There the royal family was subjected to repeated harassment. Once an angry crowd called Marie-Antoinette to the window to see the head of her friend, the Princess de Lamballe, waving on a pike. The queen fainted.

In January 1793, Marie-Antoinette said good-bye to her husband, who was beheaded the following day. Six months later, her son was taken from her, and she was moved into a narrow cell in a prison for inmates to be put to death. An escape plan failed when the queen, who had no pen, tried to pass a paper message written in embroidery needle pricks.

When Marie-Antoinette finally stood trial for treason, she remained dignified and insisted she was guilty only of doing her duty as the king's wife. Early on October 16, 1793, she calmly went to her death at the guillotine.

Marie-Antoinette's
famous diamond necklace

Madame Royale

Marie-Thérèse Charlotte naquit dans une chambre de palais étouffante, emplie de nobles, à 11 heures et demie du matin, le 19 décembre 1778. Sa mère, la reine Marie-Antoinette, et son père, le roi Louis XVI, étaient si heureux de son arrivée qu'ils firent distribuer gratuitement au peuple du pain et de la saucisse, relâcher de nombreux criminels et débiteurs, illuminer Paris de feux d'artifice et couler du vin des fontaines à boire publiques.

Bien que Madame Royale ne puisse jamais hériter du trône, elle aussi sentit l'hostilité du peuple quand la Révolution commença.

Elle était avec sa famille quand les Parisiens affamés marchèrent sur Versailles, quand les siens furent obligés de déménager dans l'humide Palais des Tuileries, et quand ils tentèrent de s'enfuir de France, cachés sous des déguisements. Elle avait 13 ans quand la foule déchaînée envahit les Tuileries en juin 1792: « Soudain nous vîmes la populace défonçant les grilles de la cour, et se ruant dans l'escalier menant au château. C'était horrible à voir, et impossible à décrire—ces gens, la fureur au visage, armés de piques et de sabres, et mélangés pêle-mêle à des femmes à demi-dévêtues, pareilles à des furies. »

Madame Royale apprit que son père allait être décapité quand des crieurs de journaux l'annoncèrent sous sa fenêtre, à la prison du Temple. Elle avait 14 ans quand elle fit ses adieux définitifs à Marie-Antoinette: « Ma mère, après m'avoir tendrement embrassée et exhortée au courage, me dit de prendre bien soin de ma tante, et de lui obéir comme à une seconde mère, et me répéta les mêmes instructions que mon père m'avait données... je ne répondis rien, tellement j'étais terrifiée à l'idée que je la voyais pour la dernière fois. »

Unique membre de la proche famille royale qui ait survécu à la Révolution, Madame Royale finit par être libérée en échange de commissaires emprisonnés. Elle mourut à 73 ans.

Marie-Thérèse Charlotte was born into a stuffy palace room crowded with noblemen and noblewomen at 11:30 A.M. on December 19, 1778. Her mother, Queen Marie-Antoinette, and father, King Louis XVI, were so delighted with her arrival that bread and sausages were distributed for free, many debtors and criminals were released, fireworks were set off in Paris and wine flowed from public drinking fountains.

Though Madame Royale would never inherit the throne, she too felt the public's hostility when the Revolution began.

She was with her family when starving Parisians marched to Versailles, when they were forced to move to the damp Tuileries, and when they tried to escape France wearing disguises. She was thirteen when a mob stormed the Tuileries in June 1792: "Suddenly we saw the populace forcing the gates of the courtyard and rushing to the staircase of the château. It was a horrible sight to see, and impossible to describe—that of these people, with fury in their faces, armed with pikes and sabres, and pell-mell with them women half unclothed, resembling Furies."

Madame Royale learned her father would lose his head when news criers shouted it under her Temple prison window. At fourteen, she said a final good-bye to Marie-Antoinette: "My mother, after tenderly embracing me and telling me to have courage, to take good care of my aunt, and to obey her as a second mother, repeated to me the same instructions that my father had given me. . . I answered nothing , so terrified was I at the idea that I saw her for the last time."

The only member of the immediate royal family saved in the Revolution, Madame Royale eventually was freed in exchange for imprisoned commissaries. She died at age seventy-three.

Madame Elisabeth

Madame Elisabeth, la soeur cadette du roi Louis XVI, était une femme sérieuse et très pieuse, que l'on avait surnommée « la reine de la pitié » car elle consacrait beaucoup de temps et d'argent aux miséreux. Elle avait prévu la révolution bien avant son frère et sa belle-sœur, et c'est en vain qu'elle les avait appelés à faire des réformes.

Quand la crise éclata, Madame Elisabeth resta en France, vivant avec les monarques dans l'enceinte des Tuileries, et elle fut capturée avec eux quand ils essayèrent de s'enfuir de France.

En 1792, la princesse faillit être tuée par un manifestant qui la prit pour la reine. Elle resta dévouée à Marie-Antoinette, même après la mort de son frère, et fut pour elle une source de réconfort jusqu'à ce que la pauvre reine parte à son tour vers la mort. Madame Elisabeth se consacra alors à la fille du couple royal, l'exhortant à pardonner à leurs geôliers.

En mai 1794, Madame Elisabeth fut arrachée de son lit pour subir un interrogatoire, et le jour suivant elle fut condamnée pour conspiration contre la Révolution. Elle passa en prière le trajet qu'elle fit vers la guillotine avec 24 autres prisonniers, et elle pria pour chacun d'eux tandis qu'ils étaient guillotinés avant elle.

Madame Elisabeth de France, little sister of King Louis XVI, was a serious, religious woman, known widely as the "Queen of Pity" for giving time and money to the needy. She foresaw the coming revolution long before her brother and sister-in-law did, uselessly urging them to make reforms.

When the crisis hit, Madame Elisabeth stayed in France, living in confinement with the monarchs at the Tuileries, and was captured with them as they tried to flee France.

In June 1792, the princess was nearly killed by a rioter who mistook her for the queen. She remained devoted to Marie-Antoinette, even after her brother's death, and was a source of strength until the depressed queen finally went to her own death. Madame Elisabeth then cared for the royal couple's daughter, teaching her to forgive their jailers.

In May 1794, Madame Elisabeth was abducted from her bed for an interrogation, and the next day was condemned for counterrevolutionary plotting. She prayed as she rode in a wagon with twenty-four other prisoners to the guillotine, and prayed for each of them as they were beheaded before her.

Charlotte et Maximilien Robespierre

Maximilien Robespierre, dit « l'incorruptible » , voulait que chaque Français ait droit au travail et à l'éducation. Il désirait ardemment le suffrage universel, le libre accès aux emplois du service publique, et la fin de toute discrimination raciale ou religieuse. La Terreur fut son outil de combat.

Quand il prit la parole pour la première fois à l'Assemblée nationale révolutionnaire de 1789, il avait 31 ans. En dépit de la faiblesse de sa voix, et aussi de l'opposition qu'il soulevait, il devint rapidement un homme politique de première importance. D'abord membre actif du club des Jacobins, l'un des cercles politiques les plus influents de cette époque, il en devint le président en 1790. Afin d'établir une dictature populaire, Robespierre et le Comité de Salut publique (qui pendant un certain temps détenait virtuellement les rênes du pouvoir) imposèrent des mesures draconiennes contre les nobles, les prêtres, et tous ceux que l'on suspectait d'être des ennemis de la Révolution. Le Comité suspendit aussi le droit des accusés à un procès public, ainsi que celui qu'ils avaient de recevoir une assistance légale. Du 5 septembre 1793 au 27 juillet 1794, la Terreur se traduisit par une vague d'exécution. Quand le procès du roi s'ouvrit en novembre, Robespierre demanda une mise à mort sans délai. « Louis doit mourir, parce qu'il faut que la patrie vive », dit-il alors.

Dans le dernier discours de Robespierre à l'Assemblée nationale, il suggéra que certains des membres étaient corrompus et qu'ils devaient être éliminés. Les représentants du peuple, bien qu'ils l'aient d'abord applaudi, finirent par prendre peur et à se retourner contre lui. Le jour suivant, Robespierre ne fut pas autorisé à parler devant la Convention, il fut déclaré proscrit et enfin mis en état d'arrestation.

Ses alliés se rassemblèrent pour prendre sa défense et obtenir sa mise en liberté, mais quand les troupes de la Convention arrivèrent, Robespierre avait déjà reçu une balle dans la mâchoire, que lui même ou quelqu'un d'autre avait tirée. Pendant 7 heures il resta étendu sur une table, entre la vie et la mort, avant d'être mis en prison avec ses propres victimes, où il séjourna 5 heures. Il fut ensuite conduit à la guillotine sous les huées de la foule des spectateurs, et décapité. Il avait 36 ans.

Il est possible que Charlotte, la soeur de Robespierre, ait déformé les vues de son frère aîné dans ses mémoires, qui ne furent publiés qu'après la mort de leur auteur, une vieille femme terrifiée qui portait un nom abhorré dans toute la France. Ces souvenirs présentent Robespierre comme un héros, mais ils sont aussi la source d'information la plus importante que les historiens aient à son sujet.

Maximilien Robespierre, "The Incorruptible," wanted work and education available to all Frenchmen; he wanted universal suffrage, free access to public employment and no religious or racial discrimination. Terror was his tool.

When he first spoke in the revolutionary National Assembly of 1789, he was thirty-one. In spite of his weak voice and the opposition he stirred, he became a prominent political leader. He was an active member of the Jacobins, the best known and most influential political club of the day, and became its president in 1790. To attain a democratic dictatorship, Robespierre and his Committee of Public Safety, which for a time had virtual control over the government, imposed harsh measures against nobles, priests and others suspected of being enemies of the Revolution. The committee also suspended suspects' rights to a public trial and legal assistance. The resulting "Reign of Terror" from September 5, 1793, to July 27, 1794, brought a wave of executions. When the king's trial opened in November, Robespierre demanded his death without delay. "Louis must die that the nation may live," he said.

In Robespierre's last speech to the National Assembly, he suggested that some of the members were corrupt and should be weeded out. The representatives at first applauded and then, frightened, turned against him. The next day, Robespierre was prevented from speaking before the Convention, declared an outlaw and arrested.

Robespierre's supporters gathered to fight for their leader's release, but when Convention troops arrived, Robespierre was shot or shot himself in the jaw, and his friends fell into disarray. For seven hours, he lay almost dead on a table, then spent five hours in prison with his own victims. Robespierre was then carried through a staring, cheering crowd to the guillotine, and beheaded. He was thirty-six.

Robespierre's sister Charlotte may have distorted the view of her older brother in her memoirs, which were published after she died an old and frightened woman bearing the name despised throughout France. Though her recollections put Robespierre in a heroic light, they provided a chief source of information about him.

Louis Antoine de Saint-Just

Quand en juillet 1794 Maximilien Robespierre annonça qu'il voulait purger la Convention nationale de ses membres corrompus, il ne précisa pas de qui il voulait parler. Les membres effrayés, qui craignaient la guillotine, le renversèrent.

Un des membres de la Convention, Louis Antoine de Saint-Just, aurait pu rester silencieux, laisser Robespierre être exécuté et ainsi sauver sa propre vie. Mais pour Saint-Just, Robespierre était un ami, et « le député de l'humanité. » Jusque tard dans la nuit, il composa un discours destiné à gagner la Convention. Mais quand il le prononça le jour suivant, les conspirateurs, en hurlant, se précipitèrent avec violence sur l'estrade. Saint-Just resta calme, bougeant à peine, tandis qu'ils l'attaquaient verbalement avant de le faire arrêter.

Cette nuit-là, Saint-Just fut relâché et il retrouva ses amis à l'Hôtel de Ville pour fomenter un soulèvement populaire contre la Convention. Mais il fut capturé et remis en prison. Une fois de plus, il se soumit dans un silence plein de mépris.

Emmené à la guillotine la nuit suivante, Saint-Just, qui n'avait que 27 ans, se tint la tête droite, fièrement, jusqu'au bout.

When Maximilien Robespierre announced that he wanted to rid the National Convention of its corrupt members in July 1794, he didn't specify whom he meant. Frightened members, who feared the guillotine, overthrew Robespierre.

One member of the Convention, Louis Antoine de Saint-Just, could have stayed silent, let Robespierre be executed and thus saved his own life. But to Saint-Just, Robespierre was a friend and "the deputy of humanity." Late into the night, Saint-Just carefully composed a speech to win over the Convention. But when he gave his speech the next day, screaming conspirators violently rushed to the platform. Saint-Just stayed calm, barely moving, as they furiously denounced and arrested him.

Louis XVII

Louis-Charles de France n'avait que 4 ans quand, des bras de sa mère, il aperçut du haut du balcon royal du château de Versailles une foule de paysans en colère criant leur misère et réclamant justice. Ses parents, le roi Louis XVI et la reine Marie-Antoinette, ne purent apaiser la populace qu'au prix de leur départ du palais. Du fond du carrosse qui les emmenait, l'enfant hurlait: « Ne tuez pas ma maman! »

Obligés de vivre à Paris dans le Palais des Tuileries qui avait été jusqu'alors presque abandonné, la famille royale essaya en vain de fuir la France, Louis-Charles déguisé en petite fille et ses parents en gens du peuple.

Quand les Parisiens envahirent les Tuileries en juin 1792, un homme hostile à la monarchie affubla l'enfant d'un bonnet rouge révolutionnaire afin d'humilier ses parents. Deux mois plus tard, la famille était emprisonnée au Temple, où le roi se fit le précepteur de son fils, alors âgé de 7 ans, pour lui apprendre à lire et à écrire.

Après la décapitation de son père en janvier 1793, Louis-Charles devint, aux yeux des monarques européens, le roi Louis XVII. Mais en France, « l'orphelin du Temple » symbolisait la menace monarchique contre la Révolution. Il fut enlevé à sa mère en 1793, qu'on l'obligea à accuser de mauvais traitements, contribuant ainsi à sa condamnation à mort.

En 1794, Louis-Charles, qui avait alors presque 9 ans, passa six mois isolé dans une pièce sombre barricadée et infestée de rats. Il ne pouvait pas plus se laver qu'obtenir une literie décente jusqu'au jour où un nouveau geôlier exigea que le petit roi ait une cellule et des vêtements propres, ainsi que des visites journalières. Plusieurs puissances étrangères tentèrent de négocier sa liberté, mais sans succès, et l'enfant finit par mourir de tuberculose en 1795. Quand son oncle, Louis XVIII, ordonna que l'on recherche ses restes en 1814, on ne trouva rien. Certains ont suggéré qu'un imposteur était mort à la place de l'enfant, mais la plupart des indices que l'on ait semblent indiquer que Louis XVII est bien mort comme annoncé.

Louis-Charles de France was only four when, scooped into his mother's arms, he peered down from the Versailles royal balcony into a mob of angry peasants eager to avenge their poverty. His parents, King Louis XVI and Marie-Antoinette, had to pacify the rebels by evacuating the palace, as the boy cringed in the carriage, shrieking, "Don't kill Mama!"

Forced to live in the abandoned Tuileries Palace in Paris, the royal family tried unsuccessfully to flee France, Louis-Charles disguised as a little girl and his parents as commoners.

When Paris citizens stormed the Tuileries in June 1792, one hostile man plunked a red revolutionary cap on little Louis-Charles's head to humiliate the monarchs. Two months later, the family was imprisoned in the Temple, where the former king tutored his son, now seven, in school subjects.

After his father was beheaded in January 1793, Louis-Charles was recognized by European monarchs as King Louis XVII. But in France, the "Orphan of the Temple" symbolized monarchy's threat to the Revolution. He was snatched from his mother in 1793 and prompted to accuse her of abusing him, thus helping to send Marie-Antoinette to the guillotine.

In 1794, Louis-Charles, now almost nine, spent six months isolated in a dark, barricaded room infested with rats. He was never bathed and his bedding was unchanged until a new guardian saw that the little king got a cleaned cell, fresh clothes and daily visits. Several foreign powers negotiated for Louis's release without success, and the little king died of tuberculosis in June 1795. When his uncle, King Louis XVIII, ordered a search for the boy's remains in 1814, none were found. Some suggested an imposter had died in Louis's place, but most evidence shows Louis XVII died as reported.

Madame Tallien

Est-ce vrai que Thérésia Cabarrus est née au cours d'un bal auquel sa mère imprudemment participait à l'ambassade de France à Madrid? Vraie ou fausse, cette histoire transmise par sa fille Thermidor-Rose lui va comme un gant à cette femme éprise de plaisir.

A l'âge de 20, Thérésia, divorcée et mère d'un fils de quatre ans, se retrouva en prison à Bordeaux, faute de documents nécessaires. Quelques jours auparavant, elle avait fait la connaissance de Jean-Lambert Tallien, commissaire de la Convention à Bordeaux. Sachant qu'il avait été frappé par sa beauté et son charme, Thérésia lui écrivit une lettre. En échange de sa libérté, elle donna son amour à Tallien et son soutien à la République. La Citoyenne Cabarrus, vêtue de soie rouge et portant le bonnet phrygien, symbole de la liberté, donna des discours passionnés à Bordeaux.

Quand la nouvelle de la popularité de Tallien et Thérésia se répandit jusqu'à Robespierre, celui-ci fit rappeler Tallien à Paris, afin de comparaître devant le Comité de Sûreté générale. Mais Tallien parvint à être nommé président de la Convention. Robespierre, rongé par la jalousie, fit emprisonner Thérésia, l'accusant d'être membre de l'aristocratie, puisque son premier mari avait été le Marquis de Fontenay.

Cette fois-ci Thérésia ne sortit pas si facilement de prison. Mais elle ne se laissa pas abattre, et même a soutenu le moral de ses compagnes de prison, y compris la future impératrice Joséphine. Puis vint l'appel au tribunal, dernière étape avant la guillotine. Thérésia, outrée, écrivit à Tallien, l'accusant de lâcheté car il n'avait pas réussi à la délivrer. Il réagit en lançant l'initative du 9 Thermidor qui eut comme conséquence la mort de Robespierre et Thérésia de ce fait fut surnommée Notre Dame de Thermidor.

Tallien et Thérésia se marièrent, mais ils ne vécurent pas heureux. Thérésia était une femme légère et s'amusa pendant plusieurs années. Finalement, après s'être mariée au Comte de Caraman, elle se dédia aux actes de charité et aux besoins de ses huit enfants.

Was Thérésia Cabarrus truly born during a ball, imprudently attended by her mother, at the French embassy in Madrid? Whether or not the story handed down by her daughter Thermidor-Rose was true, such a birth would have perfectly suited this pleasure-loving woman.

Thérésia was twenty, already the divorced mother of a four-year-old son, when she found herself in prison in Bordeaux for lack of proper papers. Just days before she had met Jean-Lambert Tallien, commissary of the Convention in Bordeaux. Realizing that her beauty and charm captivated him, Thérésia wrote to Tallien. In return for her release, she gave him her love and support for the Republic. Citizeness Cabarrus then gave passionate speeches all around Bordeaux while dressed in scarlet silk and wearing a Phrygian liberty cap.

When Robespierre got wind of Tallien and Thérésia's popularity, he had Tallien recalled to Paris to be judged by the Committee of Public Safety. But Tallien went on to become president of the Convention. Robespierre's jealousy was unabated; to further attack Tallien he had Thérésia imprisoned as an aristocrat (her ex-husband had been the Marquis de Fontenay).

This time Thérésia found no easy way out of prison. She kept up her spirits and those of her fellow prisoners, among them the future Empress Josephine. Then came the summons to the Tribunal, the last stop before the guillotine. An outraged Thérésia wrote Tallien accusing him of cowardice for failing to rescue her. Tallien's resulting initiative of the 9th of Thermidor (27 July) and Robespierre's subsequent death earned Thérésia the name "Our Lady of Thermidor."

Tallien and Thérésia were soon married, but did not live happily ever after. Thérésia was a popular, wildly extravagant hostess for some years. Finally, after marrying the Comte de Caraman, she devoted herself to good works and to her eight children.

Madame Roland

« O liberté, que de crimes on commet en ton nom! » cria Mme Roland en attendant son tour à la guillotine. Agée de 39 ans et vêtue de blanc, cette fille d'un maître graveur parisien était calme, par rapport à la plupart de ses compagnes. Elle avait passé les cinq mois précédents dans une cellule qu'elle gardait propre, où elle s'occupait à écrire ses mémoires et des lettres à Robespierre, aux Girondins, à sa famille et aux amis. Elle réussit à envoyer ses lettres clandestinement par des visiteurs.

Marie-Jeanne Philipon, que ses amis appelaient Manon, a passé sa jeunesse à lire et à écrire. Dès l'âge de 9 ans elle s'inspirait des *Vies* de Plutarque, au sujet des Grecs et des Romains. Sauf une année qu'elle passa au couvent, elle fut instruite chez elle, et elle aimait lire les grands philosophes, et développa de fortes opinions au sujet de la vie et des injustices de la société française.

Tres jeune elle a pris l'habitude d'écrire pour les autres. En plus d'écrire des lettres pour sa mère, elle composa plusieurs lettres de rejet au nom de son père à ses prétendants. A l'âge de 25 ans, elle épousa Monsieur Roland de la Platière. M. Roland fut nommé ministre de l'Intérieur en mars 1792, et il se fiait aux conseils de sa femme en toute chose. Au mois de juin, M. Roland décida d'abandonner son poste, car il voulait mettre à jour les intrigues du roi et son défi envers la Constitution. Sa lettre annonçant sa démission (composée entièrement par Madame Roland) fut lue à haute voix à l'Assemblée. Ceci a contribué à l'arrestation du roi.

Monsieur Roland fut nommé à nouveau ministre de l'Intérieur au mois d'août, mais son influence était déjà en déclin. Il quitta le ministère en janvier 1793, le lendemain de la mort du roi, et s'enfuit afin d'éviter d'être arrêté. Mme Roland refusa de s'enfuir avec lui. A cause de son enthousiasme idéaliste elle fut l'égérie des Girondins. Elle avait esperé pouvoir exercer son influence sur la Convention, même de sa prison, mais en vain.

"O Liberty, what crimes are committed in thy name," cried Madame Roland as she awaited her turn at the guillotine. The thirty-nine-year-old daughter of a Parisian engraver was calm, unlike most of her fellow prisoners, and neatly dressed in white. She had spent the previous five months keeping her prison cell tidy and writing: letters to Robespierre, to the Girondins, to family and friends, as well as her memoirs, and managed to have them smuggled out by visitors.

Marie-Jeanne Philipon, called Manon by her friends, spent much of her early life reading and writing. By nine she had found inspiration in Plutarch's *Lives* of Greeks and Romans. Educated at home except for a year in a convent, she went on to read many philosophers and to form strong opinions about injustices of life in France.

The habit of writing for others began early; in addition to writing for her mother, she composed her father's letters of rejection to numerous suitors. At twenty-five she married M. Roland de la Platière. When M. Roland was appointed Minister of the Interior in March of 1792 he relied on her advice about whatever he did. In June, M. Roland decided to resign to call attention to the king's intrigues and failure to honor the Constitution. Contrary to precedent, his letter of resignation (entirely the work of Mme Roland) was read aloud in the Assembly. This ultimately led to the arrest of the King.

M. Roland was again appointed Minister of the Interior in August, but now his power had declined. He resigned in January 1793, a day after the death of the king, and fled to avoid arrest. Mme Roland refused to flee; her idealistic enthusiasm had been the mainstay of the Girondins, and she hoped to sway the Convention in their favor from prison but in vain.

Madame Roland